신
이라고 불린 흡혈귀
제 2 권
사쿠라이 우미
Presented by Umi Sakurai
지음

contents

신이라고 불린 흡혈귀

제 2 권

목차

봐라.
치요….
이제 곧 벚꽃이 필 게다….
너와 함께 보는 벚꽃은 각별하구나….

슈텐 님….
저도
같은 마음이랍니다….

치요….

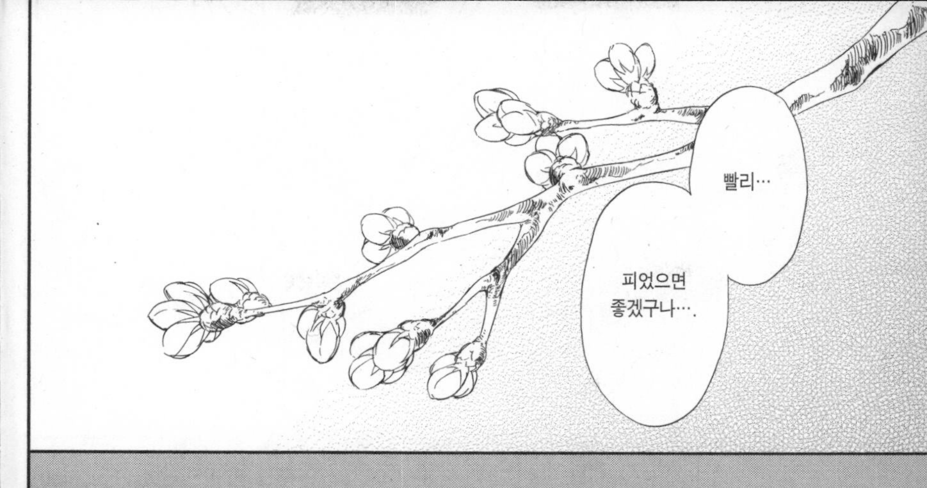

오니는
인간을
사랑했다….

그러나
인간의 수명은
짧으니…

유한한
시간의 끝에
오니는 무엇을
생각할 것인가….

이 정도로 죽을 수 있으리라고는 생각지 않는다만…
시험해 볼 가치는 있겠지….
바스락
싹둑
크억!
털 푸덕

제6화 「봄의 오니」

블라드!
언제까지 잘 거냐!
일—어—나!
우—응 ….
이 신사의 신이기도 하다.
꾸벅 꾸벅
오늘은 날씨가 좋다! 참배객이 잔뜩 올 거라고!
신사의 코마이누 아즈키
내 이름은 블라드.
보다시피 관에서 자는 흡혈귀지만…
때문에 햇볕을 싫어해도
낮에는 일어나 있어야 한다.
자아~….
또독
또독
아! 손님이 왔다!

드르륵
탁
지금 뭔지 몰라도 미이라 같은 남자가 있었어….
그리고 여자아이도
그건 아마도 토지신인 슈텐도지 님일 거다.
뭐?

정말이다
….
뿔이
있어.

아즈키는
백 년 정도
신들의 연회에
참석하지 않아서
모르겠지만…
80년 정도
전이었던가…

슈텐도지 님이
갑자기 자신의 몸을
붕대로 감추기 시작했다.

신으로
선택됐을 정도의
오니이니…
신경 쓸 것은
없다고
생각한다만….
치요를
위해서다….

치요는
입을 덜기 위해
산에 버려진
아이였다….

우걱우걱
해서는
안 되는 일을
하고 있다고
알고는
있었으나…
다음
날도…
그 다음
날도…
나는
치요에게
먹을 것을
주러 갔다

거기
계시죠….

오니의 모습을 내보였다가

치요를 무섭게 하는 것은 아닐까….

그 이전에 인간이 아니라는 사실이 알려지면 안 된다….

어떤 모습이라도 저는 당신을 만나고 싶어 견딜 수가 없습니다….
치…
치요….

슈텐 님….

눈 깜짝할 사이에
80년이 흘렀다….

그 치요가 요전 날 이 세상을 떠났다….
내가 이 세상에 머물 의미가 없어진 것이다.
하여 나도 죽으려고 한다….
뭐?!

그런데 몇 번이나 자살을 시도해도
이 정체 모를 소녀가 방해한다.
그러하니 내가 무사히 죽을 수 있도록 이 소녀를 맡아주었으면 한다.
잠깐 기다려!!

자살이라니,
나 역시
말리겠다!!
토지신이
사라진 토지가
부정해진다는 것은
잘 알겠지.
그래서
어쩌라는
거냐….
치요 이외의
인간 따위
어찌 돼도
상관없다….

와락
그렇다면
처음부터
토지신 따위
되지 마라!

블라드….
너라면 내 마음을 이해해 줄 것이라고 생각했는데 말이다….
나는…
한 번도 죽고 싶다고 생각한 적 따위 없다.
어떤 무거운 죄를 짊어져도…
나는 그 분처럼 인간들을 지켜보며 이 땅에서 살아가자고 결심했다….

강하군….
나는…
너처럼은 살 수 없을 것 같다.
…….
죽는 것은 더는 말리지 않으마.

하나 그 소녀를 맡아 줄 마음은 없다.
사람의 아이가 아니라 해도
원래 있던 곳에 돌려놓고 와라.

꼭…
슈텐 님…
저는 슈텐 님이
죽지 않았으면 해요….

블라드…
왜 따라가는 거냐?
저 소녀가 신경 쓰인다.

대체 어디에서 데려온 거냐?
모른다….
갑자기 나타나 내게 달라붙어서는 떨어지질 않는다.
사람의 아이가 아니라는 것은 알겠으나…
무슨 요괴인지는 모르겠다.
처음 만난 곳은 그곳이었다….

치요의 집….
?!
뭐지.
이
사기(邪氣)
는…
씨 끼
씨 끼
끼 끼 씨
끼
토지신의
정신이
약해진
것만으로
요괴투성이가
아닌가.
이렇게까지
부정해지는
것인가….
슈텐도지
님은
이 땅을
보고도
아무것도
못 느끼는
건가.

웃.
소녀여,
왜 그러느냐?
뜨거워
….
뜨겁습니다
….
치이이잉
이봐!
무슨 일이냐!
타…
타고
있습니다….
치요님의 집이
타고 있어요….
뭐라?!

그럴 수가….
치요…
치요…
치요…
치요의 집이…

화르르르르르르

이 요괴놈들!!
촤아
화르르륵
꺄아아
불을…
불을 꺼야 해!
이봐! 슈텐도지!!
그런 것보다 이 소녀를 신경 써라!
이 아이가 타고 있는 걸 보면
이 아이는 이 집과 관련된 요괴인 거다!

가르쳐 다오….
넌 무엇에서
태어났느냐…?
슈텐 님….
화르르르
죄송해요….

치요님에게
보여드리지
못해서….

좀 더 빨리
피고 싶었어요….
팍
팍
팍
팍
팍
팍
팍

지금 불을
꺼주마…!
기다려라!
벚꽃이냐!!
너는
저 벚꽃나무였던
거로구나!!

뭘 할
생각이냐!
턱
기다려라!

집을
날려버릴 거다.

저 집이 있는 한 벚꽃에 불이 옮겨 붙게 될 거다.
너도 알 텐데.
안 된다!
하지 말아다오!
저건 치요의 집이다!
화르르륵
치요와의 추억이…
가득 쌓여있단 말이다…!!

잃고 싶지 않다….

치요…
치요여….
뭔가 갖고 싶은 것은 없느냐?
이렇게 훌륭한 집까지 지어주시고…
당신이 곁에 계셔주는 것만으로도 이미 충분하답니다.

하지만…
만약 또 한 가지 소원을 이룰 수 있다면…
정원에…
한 그루의 벚꽃 나무를 심고 싶습니다.
이런 것으로 족한 것이냐….
보세요, 슈텐 님….
꽃이 피었습니다….
곱구나….
예. 무척이나요….
실은 이 나무에 이름을 붙였습니다.

코하나라고
한답니다….
왜 그런 것을
붙인 것이냐?
그게
슈텐 님과
제 아이와도 같은
것이니까요.
이름을
붙여서…
제대로 잘
돌봐주고
싶습니다….

슈텐 님도… 세심하게 잘 돌봐주세요.
제가 먼저…
옆에서 없어져도 말이에요….
치요….
너는 이미 훨씬 전부터 알고 있던 것이겠지….
내가 인간이 아니라는 것을….
같은 시간을 살아갈 수 없다는 것을….
나를 놔두고 떠나는 너도 괴로웠겠구나….

죄…
죄송해요….
죄송해요….
코하나….

네가
사과할 일은
아무것도
없느니라….

자식을 지키는 것은
부모의 할 일이 아니더냐.

슈텐 님!
치요….
나는 앞으로도 살아가겠다.
네가 남겨준 이 아이와 함께…
이 땅을 계속 지켜보겠다.

이름 슈텐도지
신장 203cm
좋아하는 것 치요, 코하나
싫어하는 것 굶주림

블라드!
내
평생소원이다!!
부탁한다!!
내가 여는
다화회에
참석해 주라!!
있지 블라드….
평생소원이라고
말하면서
부탁하는
녀석은
평생소원을
평생 동안
부탁한다.
거절해.
이번 다화회가
얼마나 중요한지
넌 모른다고!
닥쳐!
이 썩을
찐빵아!!
그렇게 중요한
다화회인 거냐?
그래….

38위의 토지신 중에 외모가 가장 아름답다고 칭송받는…
소네미네 양이 참석한다고!!
중요한 건 너뿐이겠지….

남자를 싫어하는 것으로 유명한 소네 양은
남자가 참가하는 다화회에는 얼굴을 내밀지 않지만…
하쿠렌 님이나 블라드 님이 참석하신다면 저도 꼭….

그렇게 말해줬어!!
그건 다시 말해, 넌 안중에도 없다는 뜻이잖아.
스스로 말해놓고 슬퍼지지 않냐?

블라드! 내 평생소원이다!
너도 미녀를 만나고 싶잖아! 그렇지? 그렇지?

아니, 아무래도 좋다….
전혀 관심없는 거냐

제7화「신에 어울리는 자 (전편)」

블라드.
소네미네 양이 도착했다고 해.
왜 저 바보가 여는 다화회에 참석하기로 한 거야.
미안하다. 끝까지 거절을 하지 못했다….

이 야히코 님이
얼마나 어거지를
잘 쓰는데.
얕보면 곤란해.
내가 부탁하면
대부분의 여자는
세 번까지는
허락해준다고….
뭐 블라드 같은
타입이라면
열 번은
가벼울 거야!
완전히
식은 죽 먹기
라니까!
코하하
화내도 돼.
…….
블라드 님
죄송합니다….
스구루냐
….
저희 신령님이
늘 폐를 끼치고
계십니다.
꾸벅
꾸벅
아니…
신경 쓰지
말거라.
왜
이 신사의
신은
덜떨어
졌건만,
사자들은
정상인
것일까요…
?!

가엾은
사자들….
전부 제가
거둬들여 주고
싶습니다….
케켁!!
하쿠렌!!
왜 네가
여기 있는
거냐!

냄새나는
벌레와도 같은
남자가
블라드를
꼬드기고 있다고
들어서…
구해주러
온 겁니다.
그런 남자는
없으니까
돌아가!
돌아가 버려!
가엾은
블라드.
내가 대신
거절해 줄까요?

아니
괜찮습니다.
비록
주저했다고는
하나…
한 번
받아들인 이상
참석하겠습니다.
이겼다!
그럼 저도
참석하지요….
괜찮지 않으냐,
야히코…
인원이
많은 편이
더 즐거울 거다.
켁! 왜냐!
오지 마!
오지 마!
소네미네 님은
애초에
나나 블라드를
만나고 싶어
했지요?
둘이
같이 있으면
더욱
기뻐할
겁니다….
내 마음이
피폐해진다고!
블라드가
그렇게 말한다면
어쩔 수 없나~~.
물러.
물러요.
블라드에게
물러!

왜 나까지…
꺄아아아아
천국이에요!!
여긴 천국이에요!!
소네미네의 시녀들

한 가지
물어도 될까….
넌
누구냐?
스구루입니다.
얼굴을
내놓는 편이
더 좋을 것
같아서….
미소년….
야히코가
여자를 좋아하지
않았다면
위험했군.
하지만 가면을
안 쓰고 있으려니
왠지 진정이
안 되네요….

나도
그 모습에
익숙해진 탓에
그
모습
어…
인간의
형체 쪽이
움직이기
어려워져
버렸다….
펑
역시 이쪽으로
돌아갈까….
멋진 남자가
사라졌다!
달각
죄송합니다만
저도 이편이
더….
또
사라졌다!

저기— 있지—. 소네 양이 안 보이는데,
아직도 준비가 덜 된 걸까—.
그러고 보니 늦으시네요….
먼저 가 있으라 하셨습니다만….
남자분들이 많아서 긴장하셔서 나오지 못하시는 것일까요….
소네미네 님은 순진하시니까요….
참나 도리가 없군. 소네 양….

별 수 없지….
내가 데리러 다녀오겠어.

줄줄줄줄줄줄줄줄
왜 이렇게 따라오는 거야!!!
당신을 신용하지 못하기 때문입니다.
미안하다, 야히코….
너무해!
블라드까지!

그야 당연히….
이제 됐어. 마음대로 해!
흥 칫뿡!!
삐쳤군….
애초에 말이지… 소네 양을 만나는 건 처음이 아니라고.

봄의
시냇가에서의
일.
신들의 연회에서
말고도
둘이서만 만난 적이
있어….
그건…
보기 드문
일이군요.
당신이
종자도 없이
혼자 계시다니….
어떠십니까.
이제부터
같이…

철썩
가까이 오지 마라!
추잡스러운 것!
…라는 운명적인 만남이었지.
화난 얼굴도 귀여웠어….
널 한없이 싫어하는구나….
야히코 님 때문이 아니라,
소네미네 님은 어떤 남자분이라도 다 싫어하세요.
그거 참 큰일이로군….
유일한 예외가 있다고 한다면…

하쿠렌 님
이실까요….
이 방입니다.
소네미네
님….
모시러
왔습니다.
조~옹…
없는 것이냐?
야히코를
만나기 싫어서
도망친 걸지도
모르지.
분명히
강하게
나와 주길
바라는
걸 거야.
그럴 리는….
드르륵
앗!

아무도 없군….
아무 말씀도 없이 돌아가시거나 하지는…

숨바꼭질을 하고 있는지도 모르지.
달칵
소네 양, 어디 있을까 ~~.

응?
이건 뭐지?

거울인가….

야히코!
그 거울을 봐서는 안 됩니다!
응?
키칵

화악

야히코 님!

손을 이리
주십시오!!
빨리요!!
?!

텁
야히코 님!!
탁
괜찮다….

금방…
돌아

쨍그랑

탁
야히코 님!!

탕

참아라.
널 지킨 야히코의 마음을 생각해.
어…
어째서….
저는 사자이건만…
신을 지키는 것이 사명이건만…
싫어….

우와아아아아 아
야히코 니임!!

참나….
이렇게 귀여운 사자를 울리다니 지독한 남자로군요….

이번에는 저도
게다가 소네미네도 빨려 들어갔을 테고 말이지요.
하쿠렌 님….
야히코를 구하기 위해 힘을 빌려주도록 하지요.
이 거울에 대해 뭔가 아는 게 있으십니까?
예….
그 거울을 만든 건 납니다….
예?!

정확하게는…
그 거울에 어떤 남자를 봉인한 것은 나입니다.
그 남자의 이름은 히카와.
토지신 이었습니다.
기다려라! 이 빌어먹을 꼬맹아!
도둑이야—!
후
닥닥

자
많이 먹어….
기운이
날 거야.
털썩…
형아?
털썩…

쓰레기가
두 개…
없어졌다.
그는 어떠한
작은 죄도
용서하지
않았습니다.
부모를 잃은
아이가 저지른
작은 죄도…
그것을
책망하지 않았던
자까지…
어느샌가
토지는
황폐해지고…
한층 더 많은
사람들이
죽었습니다….
모두 다
죽여 버린
겁니다….

보다 못한 저는 그를 그 거울에 봉인했습니다.
하지만 완전히 봉인하지는 못했던 것이겠지요.
알아차렸을 때에는
보관하고 있던 거울은 이미 사라진 후였습니다….
그 거울이 소네미네의 손에 넘어갔다는 소문이 귀에 들리더군요.
그래서 이 다화회에 오신 것이군요.
예…. 그녀가 저를 만나고 싶어 할 것 같아서….
조심하세요….
그 거울은 옆에 있는 자를 유혹하여…
거울을 들여다 본 자를 끌어들입니다.

과연….
?!
블라드!
거울을
봐서는
안 됩니다!
괜찮습니다.
전
흡혈귀라
거울에 비치지
않습니다.

아무래도 거울에 비치지 않는 자는
끌어들이지 못하는 것 같군요….
흡혈귀에게는 그런 성질이 있는 건가요.
예… 그렇습니다.
온통 약점투성이라 남에게 폐만 될 뿐인 흡혈귀의 성질이 처음으로 도움이 됐군.
그… 그러네.
?!
야히코가 보인다.
뭐?!
야히코 님은!
야히코 님은 무사하십니까?!
와락
그… 그래….
무사한 것 같기는 하다만…
뭐라고 말하면 좋을지….

무척
즐겁게 지내고
있는 것 같다….
예?

이름	스구루
신장	170cm
좋아하는 것	야히코 님
싫어하는 것	야히코 님을 괴롭히는 것

야히코나
하쿠렌 님의 사자는
왜 가면을 쓰고
있는 거냐?
저희는
그림자
입니다.
결코 주제넘게
나서지 않고
신의 검이나
방패로서
살아갈 운명.
자신을
드러내서는
안 됩니다.
펄럭
야히코 님,
일어나세요.
앞으로
5분만….
몇 시까지
주무시는
건가요!
늦은 밤까지
야겜 같은 걸
하니까
못 일어나시는
겁니다.
자,
하나! 둘! 양치질.
하나! 둘!
저것이
그림자의
임무인가….
어디선가
본 기억이….

제8화「신에 어울리는 자(후편)」

소네미네
님….
당신도
이곳에
계셨군요….
저…
저기…
괜찮습니다.
제가 반드시
내보내
드릴 테니까요.
야히코
님….
손이….
탁
앗
죄송합니다.
불쾌하셨죠?
아뇨….
불쾌하지
않습니다….
소…
소네 양.
이렇게
대담할
수가…!
이… 이건
틀림없다.

나도 대담하게
나가야 해!
아…
안 돼요….
싫다면
언제든지
도망쳐도 돼….
야…
야히코
님….
야히코 님….
뭔가
안 된다는
거지?
앗….

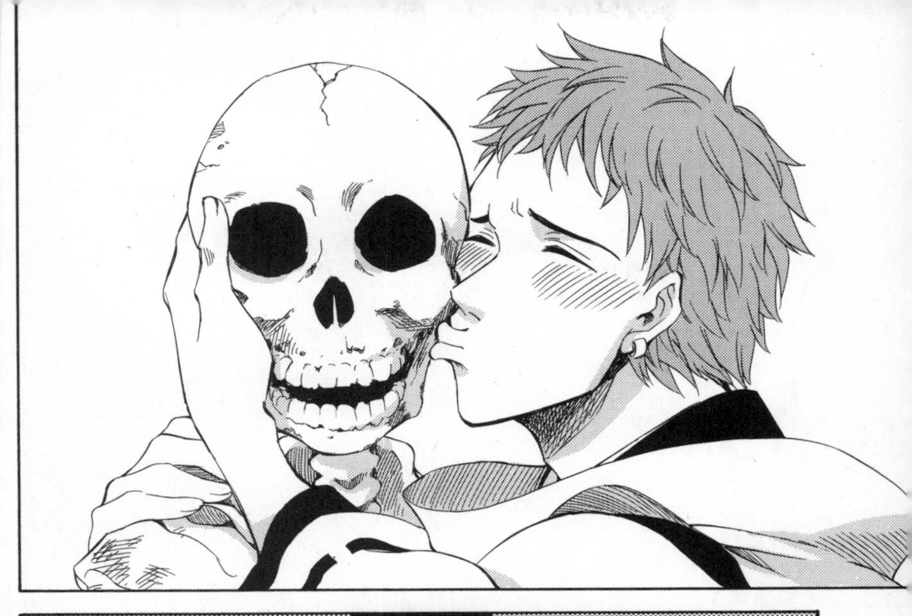

…….

후후…
얼굴이 새빨개…
꼭
사과 같은걸….
이대로
먹어버릴까….
목소리가
들립니다….
예?
설마
목소리까지
들릴
줄이야….
아히코
님은
아히코 님은
무슨 말씀을
하고
계신가요!
덥석
아…
그게….

아무래도 환각을 보고 있는 것 같다만
무사한 것 같다….
다행이다….
환각인가요, 어떻게 대처하면 좋을지….
뭔가 좋은 방법은 없을까요….
아! 소네 양.
이렇게 대담하게 나오다니!
응? 아까 일에 대한 답례라고?
후후…. 기뻐. 네 마음….
하지만 이제 그런 걸로는 만족할 수 없어….
내 진심을… 보여주겠어….
꺄아아 아아!
?!

아야야~~
누구야
난데없이!
한창
좋을 때
였는데!
척
전혀 좋지
않아요!
내 이름을
부르며
이상한 말
하지
말아줄래요?
어?
소네 양?
…….
소네 양이
둘?!
그럴 리
없잖아요!!
그런
뼈만 남은
해골과
똑같이
취급하지
말아줘요!!
게다가
그거
남자라구요!

발밑을
잘 보세요.
?!
응?

거울에
끌려 들어와
헛되이 죽어간
자들이에요….
이렇게나
많이….
당신도 내가
눈을 뜨게 해 주지
않았다면
이렇게 됐을 거예요….

감사히
생각하세요.
응…
답례는
몸으로
치를게….
퍽
또 한 대
얻어맞고
싶어요?
벌써
때렸는데요….

됐어요!
내 반경
2미터 이내에는
들어오지 말아요.
네―에

그렇게
경계하지
않아도
아무 짓도
안 할 텐데….
신용할 수가
없네요 .

거기에
저는 남성을
싫어합니다.
이것만큼은
언제까지고
익숙해지지를
않아요….
내가 마음속으로
깊이 존경하고
사모한 남성은
오빠뿐이에요….
흐음….
당신은
히카와라는
남신을
아나요?
히카와?
남신의 이름은
그다지 잘
기억하지 못해….
그래요…
아무것도
모르고
여기
온 거군요….

히카와는
제 오빠예요….
여기 있죠.
뭐?!
거기에는
없어요….

그들을 잡아먹은
쪽인 걸요.
뭐?
오빠는
더러워진
인간을
제거해서…
아름다운 세계를
만들려고 했는데…
하쿠렌의 손에
힘을 빼앗기고…
이 거울 속에
갇혀버렸어요….

그것이
제 오빠…
히카와예요….
그는
여기
있어요….
어머…
고마워요.
오라버니….
어쩜
이렇게
고울
수가….
하계에는 이렇게
아름다운 것들이
넘쳐나는군요….
물보다도 맑은
너로서는
견딜 수 없는
곳이지….
아니…
하계는
추악한 것들
투성이다.

언젠가 내가
하계에서
추악한 것들을
모두
없애버리마….
그때까지
이 방에서
기다려다오….
오빠는 제가
더러워지는 것을
두려워 해…
예,
오라버니….
저택에서
한 걸음도
내보내지
않았어요.
저는
저택 안에서
오빠 이외의
남성과
만나는 일 없이
계속 지냈죠….
그 날까지
는요….
타탁탁
그만
두십시오!
그 방은
들어가시면
아니됩니다!
하쿠렌
님!
드르륵

당신의 오빠는 내가 처리했습니다.
수많은 인간들의 목숨을 빼앗고 토지를 더럽힌 벌로 말이죠….
무… 무슨 말을 하는 거예요.
오빠가 그런 일을 할 리가 없잖아요….
당신의 오빠는 요괴보다도 잔혹했습니다….
거짓말이에요!
그럴 리 없어요!
덥석
따라 오세요….
탁
탁
탁
시…
싫어 ….
하지 마요!

털썩
읏….
보세요….
이것이
당신이 오빠가
추구하던
아름다운
세계입니다….

펑
아니에요!
오빠는
틀리지
않았어요!
오빠는 세계를
아름답게
만들려고
했어요!
그런가요
….
그럼
당신의 오빠가 남긴
이 아름다운 세계에서
5년간…
미력한 인간으로
지내세요.
5년 뒤…
아직
살아 있다면
당신을
히카와의
후계자로서
신으로
받들도록 하죠….
살아 있으면
말이에요….
기…
두고 가지
말아요….
기다려요.

싫어!어어어
그 뒤…
혼자 남겨진 제가
얼마나 고생을 했는지….
가엾은 내 동생…
도둑질을 했습니다….
사람을 속이기도 했지요….
사람을 상처 입혔습니다….
소… 소네 양.
너는 잘못이 없다….

모두
하쿠렌의
탓이다….
이곳을
나가…
하쿠렌을
죽이자꾸나….
오라버니…
줄곧 만나고
싶었어요….
거울에
갇혀 있다는 사실을
좀 더 빨리
알았더라면…
더 빨리
만날 수
있었을 텐데….
소네미네….
오라버니….

푹
그리고…
좀 더 빨리
막고 싶었어요.

그 5년 동안
배운 것은
당신이 한 일은
결코 용서받을 수
없다는 것입니다….
그리고 당신은
지금도 사람들을
괴롭히고 있어요….
저는
토지신으로서
척
당신을
없애버리겠습니다!
안녕,
히카와!!
그…
그만 둬!

어?
탁
소네 양
어?
몸이 움직이지 않는다!

결코 내게
거역할 수 없는
주술에 말이지.
거울에
끌려 들어왔을
때부터…
너희는
내 주술에
걸려 있었다….
하하하
…
퍽
그만 둬!

퍽
잘도
배신했구나!
퍽
퍽
추악하게!
추악하게
자라고
말았어!
퍽
그렇게
귀여워
해줬건만!
추악하게!
퍽
이제 그만
죽어!!

대단하군
….
아직도 움직일 수 있는 건가?
널 먹으면…
나는 하쿠렌보다 강해지겠지….
과연 삼신….
아히코 님. 죄송해요….
당신을 말려들게 해서….
신경 쓰지 마.

이렇게 네 가까이에 올 수 있어서…
나, 지금 엄청 행복하다고!
야히코 님….
나는 어리석다….
사람들이 말릴 것을 겁내…
아무와도 상의하지 않고
멋대로 혼자서 움직여서…
주위 사람들을 말려들게 하고…
상처 입혔다….

이렇게
될 거였다면
그때 죽었어야
했어….
욘석!
너
뭘 하고
있는 게냐!!
욱
곤란해….
들켰다….
노파
혼자인가….
괜찮아….
물끄러미
이 정도라면
이길 수 있어!
탁
할멈을
얕보지 마라!
쿵
아야….
자,
이리로
오거라.

배고프지…?
얼른 먹어라.
어?!
독이라도 들은 건가?
그럴 리가 있겠냐!
거짓말이에요!
날 안심시키고 멀리 팔아먹으려는 속셈이죠!
속지 않아요!
아, 그러냐. 맘대로 하거라….
꼬륵~
꼬륵~~
꼬르륵~~
우우
정말 가혹한 고문이야….
너, 아주 호된 꼴을 당한 게지….
분명히 지독한 인간들은 많다.
그러니까 얼른 먹으라고 하잖아!
하지만 말이다.
전부 그렇게 보이는 건,
네 눈이 흐려졌기 때문이야….

내
눈에는…
네가 무척
착한 아이로
보였다….
남의 아픔을
이해하고…
남을
도와줄 수 있는…
그런
착한 아이로
말이지….
기운
내거라.

지지
않겠어요!!
죽어라!
턱
소네 양!
당신을
밖으로
내보내면
또다시
많은 사람들이
죽게
될 거예요!!
소네
미네!!

잘 견뎠다….
덕분에 늦지 않을 수 있었다….
네놈은 누구냐!
왜 움직일 수 있는 거냐!

나는
흡혈귀 블라드.
거울에
비치지 않는 자.
네 술법에는
걸리지 않는다.
?!

나는 너와
마찬가지로
하쿠렌 님의
손으로
거울에 봉인되어
이곳에
있는 것이다.
서둘러
주십시오.
하쿠렌
님!
잘도
그런 생각을
해냈군요….
게다가,
용케 그것을
실행에 옮기자고
생각했습니다….

신이니까요….
촤악

오라버니
….
소…
소네…
미…네….
전하고 싶었던
말이
있었습니다….
오라버니
에게…
만약
다시 한 번
만난다면…
바깥세상은
정말로
아름다웠어요….
그림보다도…
상상보다도…

훨씬
빛나고
있었습니다….
그러
하더냐
….
그렇다면
이제…
안심…
이구……
나….
…….

소네미네는
평범한 거울로
돌아온
그것과 함께…
혼자서
외출하는 일이
있다고 한다….
남자혐오는
아직도 낫지
않았지만…
가까이 오지
마라,
이 짐승!!
그렇게나
서로 사랑하던
사이잖아!
사람들
앞에서
이상한 소리
하지 마요!
앗
블라드
님!
지금 말은
거짓말
이에요.
그게
저는…
그…
아무것도
아니에요.
호오…

세계는
추악하다!
뭐냐
난데없이….
세계는
추악해!!
자주
웃게 되었다고
한다….

블라드는 거울에 비치지 않는 거냐!
흡혈귀이니까 말이지.
그럼 매일 아침 거울을 보며 자기 얼굴에 반하는 일도
쇼윈도에 비쳤을 때 멋진 얼굴을 만드는 일도
목욕을 마친 뒤 알몸으로 멋진 포즈를 취하는 일도 없는 거냐아아!
그러고 있는 거냐….
불쌍한 블라드…. 인생의 90%를 손해보고 있구나.
그런 게 인생의 90%를 차지하고 있는 네놈 쪽이 더 불쌍하다.
나는 돌아왔다—
와—
와, 와,

이름 소네미네
신장 154cm
좋아하는 것 블라드 님, 오빠
싫어하는 것 고독
(남성은 어색하지만 싫은 것은 아니다)
지긋이~
뭘까, 최근…
물끄러미~
누군가가 보고 있는 느낌이 들어.
샥
너구리 인가!
여우겠지

날씨가
따스하구나….
이 계절은
참 좋아.
순찰이
순조롭다.

오늘은
어떤 일이라도
기분 좋게
맞이할 수
있을 것 같다….
블라드.
나
돌아왔다―!
으갸
아아

제9화「코마이누 근심기」

시…
신사가…
부들부들
그 분의
신사가아….
미안하다
아즈키….
요괴가 갑자기
습격해 와서 말이지.
…….
괘…
괜찮다.
신사의 수리라면
익숙해졌으니까.
이 정도
라면…
그래….
사흘만 있으면
원래대로
되돌려 놓을 수
있을 거다.
블라드….
뭐냐,
아즈키.

우쭐한 얼굴로
솜씨 자랑하지
마!
뭐가
사흘이냐!
대체 얼마나
부순 거냐!
신사를
지켜!
네 몸을
방패로 삼아!
철썩 철썩
네가
죽어도
신사가
있는 한
대신할 신은
얼마든지
올 거라고!
따닥
따닥

좋은 기회다, 블라드!
이제 그만 나가라!
네 얼굴 따위 보고 싶지 않아!!
아… 아즈키….
말 걸지 마!

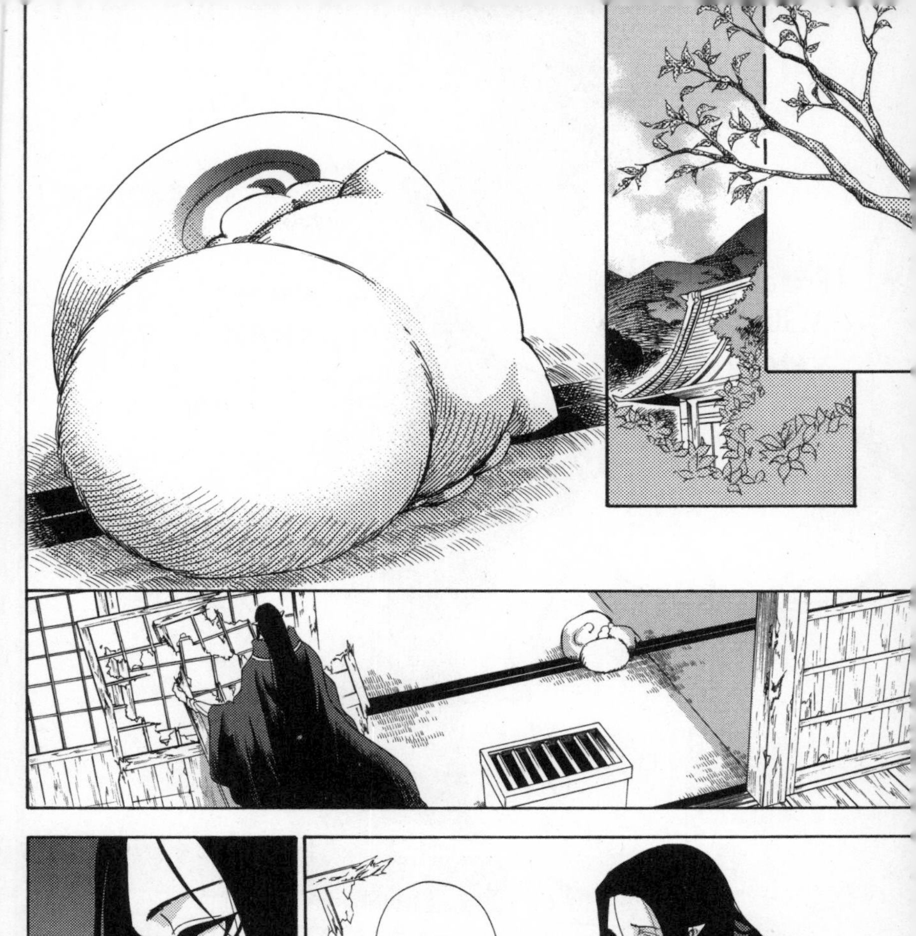

작업이
순조롭지
못한 걸….

물끄러~미…
꾸벅
?!
탁
탁
탁
내가
보이는 건가.

아이는 드물게
요괴와 같은 부류를
볼 수 있는 일이
있는데…
이 아이도
그런 것이겠지….
짤랑
짤랑

짝
짝
신령님
부디…
고양이 코로타가
돌아오게 해 주세요….
고양이를
찾고 있는
건가….
신령님
코로타의 그림을
두고 갈게요.
고양이 코로타
찾고 있습니다
아즈키?!

너… 너무 닮았다…!
설마 아즈키의 짝꿍인 운즈키인가?!
그렇지만 코마이누는 고양이가 아닌데….
하지만 개도 아니라고 아즈키가 말했던 것 같기도 하고…
그… 그런 일은 아무래도 좋아….

아!
코로타다!
아차!

신령님이 찾아주신 거구나.
집에 돌아가자, 코로타.
기 기다려 다오.
꾸울~
완지지 마라 블라드~
그건 코로타가 아니다.
돌려주지 않겠느냐?
에?
코로타인 걸요….
신령님이 찾아주신 걸요….

우오오오오
블라드으
이번에야말로
네놈의 혼을
받으러
왔느니라!
요괴?!
쌩
앗!
기다려
다오!
빈틈
발견어어언!
쾅
나중에
해 줘!
아즈키.
아즈키.
일어나 줘.

후아암
~~~~
잘 잤다….
짜아~~..

여기는
어디야!

~~~~

안녕, 코로타.
코로타?!
네 녀석, 내가 보이는 거냐!
귀여운 고양이가 보여.
나는 고양이가 아니다!
그리고 말을 한다는 사실에 의문을 품어!
코로타라면 말을 할 수 있을 것 같다는 느낌이 들었어.
그건 네놈의 망상이다!
블라드는 어디 있냐!
녀석이라면 내가 끌려가는 걸 거부했을 거다!
블라드?
저기, 있지.
신령님에게 코로타를 찾아주세요 하고 부탁을 했어.
그랬더니 신령님이 코로타를 데리고 와 줬어.
뭐라?!

네 얼굴 따위 보고 싶지 않아!
이제 그만 나가라!
파들 파들
그런 말을 해서…
블라드가 나를 내쫓았다는 건가…!
나를 대신 쫓아낸 건가….
혼자서 외롭게 지내도록 해!!
두 번 다시 돌아갈까 보냐!
오오오오오
블라드 따위 딱 질색이다!
응!
나는 여기서 먹고 자고 먹고 자는 생활을 만끽해 주겠다!
밥!
밥을 내놔라!
탁 탁

부슬럭 부슬럭
고양이의 12.5kg
자!
코로타가
제일
좋아하는 거야.
이딴 걸
먹을 수 있겠냐!!
평소
라면
블라드—
배가 고프다.
탁 탁
금방 된다.
블라드,
차—.
그래,
지금 끓이마.
아~~
~~
배고프다….
오늘도
잘 먹었다—.

뭔가… 지금까지도 먹고 자고 먹고 자는 생활을 만끽하고 있던 것 같기도 하고….
그치만 블라드를 지키는 건 아니꼽고….
딱히 내가 없어도 요괴들한테 이길 수 있고….

하지만 그래서는…
신사를 지켜!
네 몸을 방패로 삼아!
아무것도 하지 않으면서 불평만 늘어놓고 있는 것이 되지 않을까….
네가 죽어도
신사가 있는 한
대신할 신 따위 얼마든지 올 거라고!

잠깐만
기다려 줘,
코로타!
용서하자….

블라드…
기뻐하겠지….

두둥

누구냐, 네놈들!
신사를 지키고 있다.
우리는 우리를 두 번이나 가볍게 쓰러뜨린 블라드 님의 힘에 반하고 말았다.
뭔가 블라드 님의 힘이 될 수는 없을까 부탁드렸더니…
뭐?
이 신사의 수호를 맡기신 거다.
뭐어?

시… 신사에는 코마이누가 있을 거 아냐!
코마이누?

그것은 없다고 말씀하셨지 아마.
?!
거…
거짓말 이지….

으와아아아앙
블라드가 확실하게 나를 버렸다아!!!
그런데 블라드 님이 찾고 계신 코마이누 아즈키 님이란
어떤 분일까….
분명히 늠름하고 총명한 분이겠지.
아즈키 님이 자리를 비우신 동안뿐이지만
우리도 코마이누처럼 점잖고 무게 있게 신사를 지키자.
나와 함께 지낸 백 여 년의 시간은 뭐였던 거냐!
소중히 여기고 있던 것 아니냐?
내가 사라지는 것을 거부했잖아!
분명히 심한 말을 했다.
상처 입혔다고 생각해….

하지만 그렇다고 버릴 건 없잖아!
앗,
시끄러워!
코로타!
나는 아즈키다!
기다려!
기다려 줘, 코로타!
그래.
나는 아즈키다….
신사의 코마이누, 아즈키인 거다.
아즈키인 거다!
블라드의 코마이누,

빵
빠
빠앙
코…
코로타….

키이이이이

어…
블라드?
아니다!
참나…
내 주인은 위태위태 하구나옹….

정말
걱정스럽다옹.

코로타아!!!
에에
에에?!
꼬옥
별로
안 닮았어….
네놈,
요괴지…?
그렇다옹.
고양이
요괴다옹.

그래서 내친 김에 유유자적한 생활을 만끽하고 있었지옹.
코로타!
꼭
펑
때마침 평범한 고양이 인척 하고 있었더니
이 소년이 주워주었다옹.
집을 나간 거다옹.
사는 곳은 서로 다르다고 생각해.
하지만 인간과 요괴…
내가 살 곳은 이곳이라고….
그르릉 그르릉
그럼 왜 돌아온 거냐?
떨어지고 나서 알아차렸다옹.

이 소년이
있는 장소야말로
내가 돌아갈
집이었던 거다옹….

이해하지
못하려나옹….
아니….

그 마음,
알아….

나도 집으로
돌아가겠어….
이제
이상한 자존심은
버리자….

사과하자….
솔직해지자….

블라드를
만나고 싶다….
아즈키ㅡ.
아즈키ㅡ.
아즈키.
어디 있는 거냐ㅡ.

다녀왔어….

이름	코로타
신장	마음먹은 대로
좋아하는 것	주인, 캣푸드
싫어하는 것	병원

이리 오렴….
이리 오렴….
이쪽으로 오렴….
착하구나….
그 보답으로
널 먹어주마.

얌전히
있거라.
나도 널
먹어주마.
꺄아
아아!

제10화
「여름의 약속」

피를
빨려서…
힘이
안 나….
누구냐
넌!
요괴 주제에
인간 편을
드는 거냐!
나는
흡혈귀.
블라드다….
이 땅의
토지신이지.
뭐어?!

너처럼
피비린내 나는
신이
세상에 어디 있냐!
너,
블라드를
모르는 거냐.
이따금
이 주변의
요괴들 피를
빨러 오곤
하잖아.
들은 적
없어!
그런
짜증나는
신!
유명하다만….

너
타지사람이냐?
아니야
태어나서
줄곧 여기서
살고 있다고.

또인가….
또로군.
뭐가
또라는 거야!

최근
기억의 일부를
잃어버린 요괴를
자주 만나고 있다.
나도 잊어버리고
인간을 덮치는 자들도
적지 않아.

모처럼 공포의 흡혈귀라는 이름으로 다스리고 있었는데 말이지.
그런 이름으로 다스린 기억은 없다만….
그게 대체 무슨 말이야!

그… 그러고 보니까
뭔가 옛날 일이 기억나지 않는 것 같기도 하고….
…….

신령님. 도와주세요!!
덥석

기억이 안 나요.
옛날 일이 아무것도 기억이 안 나요!
왜 요괴들은 자신이 잊고 있다는 사실을 바로 못 알아차리는 거냐.
본능 만으로 살아가는 건가.
즉 기억해내지 못해도 아무 문제없다는 거로군.
그런 건 싫어어! 무척 중요한 일을 잊어버린 것 같은 기분이 들어!

사실은
사랑하는 사람이
있는데
그 사람은 지금도
제가 돌아오길
기다리고 있어요!!
걱정하지 마라,
그런 일은
절대 없을 테니까.

하지만
이렇게 몇 번이나
기억을 잃은
요괴를 만나다니
우연은
아닌 것 같은
느낌이 드는군.
그래….

요괴만이 아니라
인간도 피해를 입고
있을지 모른다.

오늘은
우리 신사에서
축제가
열리는데.
성가신 일이
일어나 버렸군
그래.
축제….

기억났습니다!

전 축제에
갔었어요.
축제?
그건
엿새 전에 열린
마을 축제
였습니다.

옥수수
쥬스

수상한 녀석은
없었냐?
우—음.
그러고
보니까
긴 백발을 한
사내가
자리를 떴습니다.
요괴 같은
느낌의

아즈키.
기억을 빼앗는
요괴가
있는 거냐?
있긴
있지만
요괴의
기억 같은 건
원하지 않아.

요괴는
인간의 행복한 기억이나
슬픈 기억을 원하지.

대단한
변화도 없이
빈둥빈둥 살아가는
요괴의 기억 따위
원하지 않는다고.
내 인생이
시시하다고
말하고 있지
않나요!
잠깐만….

넌 인간인 척을
하고 있지 않았느냐.

축제다!
축제다!
놀러가는 게 아니야.
알고 있습니다.
제 기억을 빼앗은 요괴를 인간인 척 해서 유인하는 거죠.
저도 돕겠습니다.
반드시 기억을 탈환해 보이겠어요!
그리고, 신령님.
그럼 콘스탄틴으로….
역시 됐습니다.
제게 이름을 붙여주세요.
이름이 없으니까 영 불편해서.
이름인가….
그건 너무 어려우니까 그냥 콘타라고 해.
그렇군. 콘타라고 하자….
싫어 ~~~.

프랑크 소시지
문어구이
숫자맞추기
블라드, 볶음국수다!
다음에는 볶음국수를 먹을 거야!
블라드 씨.
봐 주세요.
저 맞출 거예요.
좀 더 인형인 척을 하고 있어 줘….
형씨. 멋지네.
기분이다. 이건 덤이야.
고맙습니다.
야호!

하지만 그래서는 안 돼요.

원래
축제는
신령님을
대접하기 위해
여는 거라고요.
신령님이 가장
즐기지 않으면
안 돼요.

그렇군….
앗!
저 녀석 요괴예요.
저쪽에도 있네요.

축제는 요괴를 불러 모으는군.
즐거우니까요.
특제
크레이프
그래서 나도 축제에 갔던 걸까….
콘타?
이상하단 말이죠.
여기에 온 뒤로….

그리운 것 같기도 하고…
애절하기도 한 것 같은 감정이 밀려 올라와요.
나는 뭔가 중요한 걸 잊어버린 걸까….
그런 것이겠지.
그러니 빨리 기억을 되찾자꾸나.
블라드 씨….

당신,
좋은 신령님
이군요.
달려들어 물거나
이상한 이름을
붙이거나 하지만.
그…
그러냐.

그러니까
말이죠,
블라드 씨…

내가 가장
기억해내고 싶은 건
당신에
대해서예요….
오!
소고잖아.

최근 보이지 않는다 했더니
이런 곳에 있었나요.
어?
너, 나를 아는 거냐!
예? 무슨 말을 하는 건가요.
게다가 흡혈귀와 꽤나 친하게 지내고 있군요.
복수는 어떻게 된 건가요?
보… 복수?!

당신이 늘 말하지 않았습니까
선대 신령님을 죽인 흡혈귀 블라드를
반드시 죽이겠다고.

주…
죽인 건가요…
선대
신령님을…?

그렇게도
말할 수 있지.
내가 직접
손을 댄 것은
아니지만
내가 없었더라면
지금도
살아있었겠지….
그건
진실이다.

모처럼 저 녀석은 다 잊어버렸다고!
불씨를 만들어서 어쩌자는 거냐!
왜냐 아즈키. 사실이지 않으냐.
바보 블라드!
쓸데없는 소리는 하지 마!
그렇다고 해도 말이지!
어차피 기억해내면 다 알 일이다.
브… 블라드 씨.
저… 저는 선대 신령님을 기억하지 못하니까
지금 당신에게 원한 같은 건 없습니다.
그러니까 지금 이대로도….
콘타.
죽이고 싶을 정도로 증오한 것은
그만큼 네가 선대를 그리워하고 사모했기 때문이다.

포기하지 마라.
소중한 사람의 기억을 잃어버리는 것만큼…
괴로운 일은 없다.

응?
서…
설마.
저 녀석은!
꺄아
아아!
?!

운즈키!

백발의…
요괴다.
뭐?!
어라?
여긴
어디죠?
어느새
온 거지―?
?!

저 식신이
기억을 뽑아내고
있는 건가.
운즈키!!
목적이
뭐냐!!
인마!
듣고 있는
거냐!

탁
숭
내 기억을
돌려 줘!!!
와락
스릉
아...

운즈키….
널
다치게
하고 싶지
않다.
기억을
그에게
돌려다오.

너는
누구냐…?
운즈키
내가
블라드라는 걸
모르는 거냐!
블라드….
그런가….
네놈이
이 토지의 신인
블라드인가….

운즈키….
아즈키는?
선대는?
그들도
기억하지
못하는 거냐!
그게
누구냐?
들어본 적도
없다.

콰직
운즈키!
넌 네가 잃어버린 것의 무게를 잘 모르는 것 같군….
기억은 돌려받겠다.

큭…
기억이…
기다려라, 운즈키!
블라드 씨…
피가…
빨리…
지혈을 하지 않으면…

아…
기억이…
흘러
들어온다….
우ㅡ엥
에ㅡ엥

왜 울고 있는 건가요?
나, 인간으로 둔갑하지 못해서
축제에 따라가지 못했어요….
나…
되다 만 멍청이래요….
우에 ~~ ~~ 엥.

그럼
이걸 쓰세요.
그러면
요괴라는 것을
들키지 않고
축제에
갈 수 있을 거예요.
아저씨는
누구세요?
나는
츠키가타.
같이 축제를
즐기도록 해요.

아―
즐겁다!
신령님!!
?!
역시 여기 계셨군요.
혼자서 멋대로 돌아다니지 말아 주세요.
축제가 나를 부르고 있었단 말입니다.
신령님!
츠키가타 님은 신령님이에요?
뭐 그렇게 불리고 있지요.
신령님인데도 축제에 온 건가요?
당연하잖아요?

축제는 말이죠.
신령님을 위해 여는 것이랍니다.
그러니까 내가 가장 즐기는 것이지요!

자
너희도 함께
즐기자꾸나!
저기
신령님…
뭔가요?
내년에도
축제에 와도
돼요?
물론이죠.

내년에도
또 같이
즐기도록 해요.
그 바람은…
그 해
츠키가타 님이
돌아가셨기 때문에
이루어지지
않았습니다만….

오늘
다른 형태로
이루어졌습니다.
콘타…

너는 나를…
너무 작았던
겁니다.

그 무렵에는.
세계도
마음도….

지금은
알 수 있습니다.

당신은
신이라고
불릴 만합니다.

블라드 씨.
내년에도 또 축제에 와도 될까요?
콘타….

그래… 물론이지.
내년에도 또 같이 즐기자.

지금
돌아왔습니다.

쿠로토리 님….

죄송합니다.
블라드라는 신에게 방해를 받아
식신을 일곱 마리나 잃었습니다.

식신 같은 것은 얼마든지 만들 수 있다….
블라드는…

크크…

슬슬
사냥할까….
신이라고 불린 흡혈귀 ② 끝

맛있다
맛있어.
역시 빙수는
딸기 맛이
제일 맛있구나.
색이
빨갛기
때문이겠지.
그거 아냐?
블라드.
뭘 말이냐?
딸기 맛 멜론 맛
레몬 맛 빙수는
모두 같은 맛이다.
뭐어?!
향료와 색이
다른 것뿐이야.
가공할
빙수….

2권이
나왔습니다!
야호—
2권입니다!

슈퍼
어시스턴트
입니다!

저기…
저 뒤에 계시는
분들은
누구시죠?
이 분들
말인가요?
담당자

정말로
고맙습니다
물끄러미~
이것도 모두
독자여러분의
덕택입니다.
사쿠라이 우미
입니다.

슈퍼
어시스턴트
들이에요!
함께 반딧불을
보러 간다거나
불꽃놀이를
보러 간다거나
작업은요?!
멋지다—!!
빛나고
있어요
이 두 사람의 의견을 밑바탕 삼아
디자인을 결정했습니다.

『신이라고 불린 흡혈귀』를 그리게 된 뒤 다양한 신사를 찾아가보게 되었습니다
커다란 신사는 물론
작은 신사도 빠뜨리지 않도록 하고 있지요
신사의 수는 일본 전국에 8만 채 이상 된다고 합니다
정말 엄청난 수입니다만, 이것도 등록된 신사만 센 수입니다.
귀여워라
매우 일상적으로 사랑받고 있는 존재라는 것을 실감할 수 있네요.
우쭐

신사를 가진 신만으로도 8만 위라면 신사를 갖지 않은 신령님을 포함하면 대체 얼마나 많은 신령님이 있는 것일까.
굉장합니다.
팔백만 신이라고 불릴 만도 하네요.

그럼 누구를
흡혈귀로 삼느냐,
그렇게
생각했을 때

쉽게 바로
블라드로
결정되었습니다.

사실은
블라드만이 아니라
작중에 등장하는
다른 신들도
실재하는 신사를
모델로 했습니다.

블라드의 신사는
제게 매우 친숙한
저희 동네의 신사를
모델로 했습니다.

처음에는
외톨이였던
블라드의
주변이
동료들이
늘어나
점차 활기차
지는 것이
매우
즐겁습니다.

행복해~

그러고 보니
블라드도
처음과 비교하면
성격이 많이
쾌활해진 것
같습니다.

동료가
생긴 덕분에
마음에 여유가
생긴 걸까.

앞으로도
블라드의 성장을
지켜봐 주신다면
감사하겠습니다.

신이라고 불린 흡혈귀 2

초판 1쇄 발행 2020년 11월 20일

만화_Umi Sakurai
옮긴이_ 이진주

발행인_ 신현호
편집부장_ 윤영천
편집진행_ 김기준 · 김승신 · 원현선 · 권세라 · 유재슬
편집디자인_ 양우연
내지디자인_ CMY그래픽
국제업무_ 정아라 · 전은지
관리 · 영업_ 김민원 · 조은결 · 조인희

펴낸곳_ (주)디앤씨미디어
등록_ 2002년 4월 25일 제20-260호
주소_ 서울시 구로구 디지털로 26길 111 JnK디지털타워 503호
전화_ 02-333-2513(대표)
팩시밀리_ 02-333-2514
이메일_ lnovelpiya@naver.com
L노벨 공식 카페_ http://cafe.naver.com/lnovel11

ISBN 979-11-278-5747-9 07830
ISBN 979-11-278-5745-5 (세트)

값 5,500원